CW01065154

Golau Arall

Cyhoeddwyd gan
Wasg y Bwthyn yn 2024
ISBN: 978-1-913996-98-7

Cyhoeddwyd gyda chymorth
ariannol Cyngor Llyfrau Cymru.

Llun y clawr a'r lluniau mewnol: Glyn Price
Dyluniad mewnol a chlawr: Olwen Fowler

Cyhoeddwyd gan:
Gwasg y Bwthyn,
36 Y Maes, Caernarfon,
Gwynedd LL55 2NN

GLYN PRICE

GOLAU ARALL

Diolchiadau

Hoffwn ddiolch i Mam a Dad am roi'r cyfle i mi fod yn fi fy hun ac am adael i mi greu fy llwybr fy hun pan oeddwn i'n ifanc.

Diolch i Mari, Gwen a fy holl ffrindiau am yr anturiaethau, yr hwyl a'r chwerthin.

Diolch i'r holl weithwyr a'r mudiadau dwi wedi gweithio efo nhw ar hyd y blynyddoedd a hefyd i'r holl artistiaid ac unigolion creadigol sydd wedi fy ysbrydoli.

Diolch i'r holl bobol ifanc dwi wedi cael y cyfle i weithio efo nhw dros amser maith ac sy'n dal i fy ysbrydoli bob diwrnod.

Diolch i holl staff Gwasg y Bwthyn am eu hamynedd a'u cefnogaeth, yn enwedig Marred Glynn am wrando ar fy syniad ac i Gerwyn am olygu a helpu i roi strwythur i'r llyfr.

Diolch i Rhian Cadwaladr a Iola Ynyr am eu geiriau cefnogol a charedig.

Diolch i Gareth Jenkins am sicrhau bod lluniau'r tirluniau o safon uchel, a diolch hefyd i Geraint Thomas, Panorama gynt.

A diolch i Gwyn Jones yn Oriel Plas Glyn-y-weddw am gynnal arddangosfa o fy lluniau efo'r un teitl, *Golau Arall*, rhwng 12 Mai a 7 Gorffennaf 2024.

Ac yn olaf, diolch i chi am ddarllen y llyfr.

‘Yn yr oes ddyrys sydd ohoni rydan ni i gyd angen rhywun i afael yn ein llaw weithiau a dweud wrthym y bydd popeth yn iawn. Dyna a wna’r llyfr bach gobeithiol hwn. Mae geiriau doeth ac ysbrydoledig Glyn yn cydweddu’n berffaith efo’i luniau lliwgar egnïol – boed hynny’n egni byrlymus neu’n egni distaw.’

Rhian Cadwaladr
awdur a hwylusydd creadigol

‘Mae *Golau Arall* yn llyfr tyner i’n tywys ni at lonyddwch trwy ddarluniau ac anogaeth eiriol Glyn. Dyma ganllaw i unigolion o bob oed ddarganfod y golau sydd ym mhob sefyllfa. Chwa o awyr iach mewn llyfr annwyl dros ben – mae yna gymaint o alw am lyfr fel hwn!’

Iola Ynyr
artist sy’n hyrwyddo llesiant
trwy greadigrwydd

Cyflwyniad

Un o Gwm-y-glo, pentref bach ger Llanberis, ydw i'n wreiddiol, ond dwi bellach yn byw yn ardal Caernarfon efo Mari, fy ngwraig, a'n merch, Gwen.

Dwi'n arlunydd tirluniau gyda phrofiad o weithio fel gweithiwr cymorth ieuenctid a thiwtor mewn nifer o sefyllfaoedd amrywiol efo plant, pobol ifanc ac oedolion.

Dros y blynyddoedd dwi wedi gweithio ar nifer o wahanol brojectau, yn eu plith Llesiant i Mi, Ysgolion Creadigol Arweiniol a Chelf am Les. Dwi'n dal i weithio ar nifer o brojectau ac yn cynnal sesiynau celfyddydol a llesiant gyda phobol ifanc ac oedolion.

Dwi'n gredwr cryf mewn rhannu gwybodaeth a ddysgais ar hyd y ffordd er mwyn trio helpu pobol eraill i deimlo'n dda a chyrraedd eu gwir botensial.

Bwriad y llyfr llesiant hwn ydi rhannu rhywfaint o'r hyn dwi wedi ei ddysgu ar hyd y blynyddoedd o weithio gyda phlant, pobol ifanc ac oedolion.

O'i ddarllen, dwi'n gobeithio'n fawr y cei di gyfle i adfyfyrio ar dy brofiadau a gwerthfawrogi'r hyn sy gen ti'n barod.

Mae'r llyfr wedi ei sgwennu ar gyfer Gwen Vivian Price a phob un arall sydd eisiau'r cyfle i adfyfyrio a hunan-ddatblygu. Gwna dy orau a diolch yn fawr i ti am ddarllen.

Mae *Golau Arall* yn rhoi cyfle i ni adfyfyrio a bod yn bresennol yn y foment. Am unwaith, be am i ni fod yn ffeind efo ni'n hunain? Mae ganddom ni'r hawl i fod yn ni'n hunain, yr hawl i dawelwch a'r hawl i fethu. Dyna pryd rydan ni'n dysgu amdanom ni'n hunain. Yn rhy aml rydan ni'n barod i feirniadu a bychanu ein hunain. Mae bod yn unigolyn yn rhywbeth y dylan ni i gyd ymfalchïo ynddo.

Gobeithio y bydd y llyfr bach yma'n rhoi cyfle i ni arafu a bod yn fwy diolchgar ac ymwybodol o'r hyn sydd ganddom ni'n barod a hynny drwy gymryd un cam ar y tro a darllen un dudalen ar y tro. Ei nod ydi rhoi'r cyfle i ni arafu a chymryd amser i feddwl am yr hyn sy'n dda. Hynny ydi, sylwi ar y golau.

Mae'n bwysig fy mod i'n pwysleisio nad ydw i'n arbenigwr nac wedi fy nghymhwyso ym maes iechyd meddwl. Yr hyn dwi'n trio'i wneud ydi cynnig cefnogaeth syml a thawel er mwyn hybu lles a meddylfryd iach.

Mi fu cael y cyfle i rannu'r wybodaeth yma mewn llyfr fel hwn yn dipyn o freuddwyd gen i ac yn rhywbeth sy wedi bod ar fy meddwl ers y Cyfnod Clo a'r pandemig Covid. Y gwir amdani ydi nad oes gan yr un ohonom yr hawl i yfory, felly be am inni drio gwneud y gorau o heddiw?

Mae *Golau Arall* yn cyfuno tair thema sydd o bwys mawr i mi, tri pheth dwi'n sylweddoli sy wedi bod yn gyson yn fy mywyd hyd yn hyn.

Yn gyntaf, dwi'n hoff iawn o fod allan yn yr awyr agored, yn cerdded ac yn mwynhau byd natur gyda fy nheulu a fy ffrindiau. Mi allwn i ddadlau bod mwynhau, chwerthin a chael hwyl yn gallu rhoi cymaint mwy o werth i bob profiad.

Yn ail, ers pan oeddwn i'n blentyn dwi wedi cael yr ysfa i fod yn greadigol ac i greu gwaith celf. Nid unrhyw waith celf ond paentiadau o'r tirwedd y bydda i'n treulio fy amser ynddo fwyaf sef ardal Eryri a'r cyffiniau, Pen Llŷn ac Ynys Môn. Mae'r broses o greu fy ngwaith celf yn cychwyn tra bydda i allan yn yr awyr agored. Mae gen i ddiddordeb mawr yn siapiau'r tir, y lliwiau a'r golau ac rydw i'n ymateb i'r tirwedd drwy ddefnyddio fy iaith fy hun. Wedyn yn fy stiwdio mi fydda i'n cael cyfle i archwilio'r broses er mwyn creu darnau o gelf gwreiddiol o'r galon a hynny o lefydd sy'n golygu rhywbeth i mi.

Ac yn drydydd, dwi wedi bod yn lwcus iawn ar hyd y blynyddoedd o gael cyfleoedd i gefnogi pobol eraill gan gynnwys plant, pobol ifanc a'r henoed. Dyma lle ces i'r cyfle i ddysgu gwir ystyr y gair 'gwytnwch', drwy weithio yn fy rolau gwahanol a hynny'n fwyaf diweddar fel gweithiwr cymorth ieuenctid, tiwtor celf ac arlunydd. Gan weithio efo nifer o bobol o wahanol gefndiroedd dros gyfnod maith, dwi wedi gweld a sylweddoli bod egni yn gallu bod yn rhywbeth distaw iawn sydd yn y cefndir ac nad oes raid inni fod yn swnllyd na'n frolgar i wneud gwahaniaeth.

Dwi'n hoff iawn o sut mae geiriau a chelf yn medru bod yn ofnadwy o bwerus a phersonol. Bwriad y llyfr yma ydi rhoi ysgogiad i berson adfyfyrio a meddwl mewn ffordd bositif ac adeiladol. Yma dwi'n defnyddio geiriau ac ymadroddion y bydda i'n eu defnyddio o ddydd i ddydd mewn ffordd naturiol gyferbyn â darluniau dyfrlliw o dirweddau dwi wedi bod yn eu cerdded neu'n treulio amser ynddyn nhw.

Mae'r defnydd o iaith a geiriau o fewn cymdeithas yn gallu cael effaith gadarnhaol ar unigolyn. Dwi'n hoff iawn o sut y gallwn ni droi rhywbeth negyddol yn rhywbeth cwbwl bositif. Mae'r gair *FAIL* wedi cael ei ddefnyddio droeon dros y blynyddoedd i adael i unigolion wybod nad ydyn nhw wedi cyrraedd y nod.

Drwy brofiad dwi wedi gweld sut y gall defnydd fel hyn o iaith gael effaith negyddol dros ben a gwneud i ambell un roi'r gorau iddi'n gyfan gwbl. Ond mi allwn ni ailddiffinio geiriau. Yn lle dweud *FAIL*, be am newid ystyr y gair drwy dweud *First Attempt In Learning*? Byddai hyn yn rhoi gwell cyfle i berson ailfeddwl ac ystyried sut orau i roi ail gynnig arni. Mae cyfrifoldeb ar bawb ohonom i sicrhau ein bod ni'n rhoi'r cyfle gorau i bob unigolyn fethu sawl gwaith cyn cyrraedd eu gwir botensial.

Dwi'n siŵr y gwnewch chi adnabod ambell air neu gyngor y byddwch wedi clywed eu tebyg o'r blaen yn y llyfr hwn. Weithiau mae angen inni atgoffa ni'n hunain o'r holl gyfleoedd positif sydd ar gael i ni a gwneud y mwyaf o'r hyn sy ganddom ni'n barod. Weithiau mae'n ddigon teg dweud nad ydan ni'n barod i gymryd y cam nesaf neu i symud ymlaen a dydi hynny chwaith ddim yn broblem. Drwy adfyfyrio a chymryd ein hamser gallwn sylweddoli bod gan bob un ohonom ni'r gallu i greu ein llwybr ein hunain ac i deimlo'n dda.

Cyn cychwyn darllen y cynnwys, os ydach chi tu allan yn yr awyr agored, gobeithio y dowch chi o hyd i rywle distaw i eistedd efo'r llyfr. Os ydach chi adra, pam na wnewch chi baned a mwynhau'r tawelwch a'r cyfle i ddarllen ac edrych drwy'r darluniau o'r tirweddau?

Awn ni ar siwrnai fach efo'n gilydd, felly, drwy gymryd un dudalen ar y tro?

Mae bod yn **greadigol** yn gallu rhoi'r **cyfle i ni feddwl**, teimlo ac adfyfyrio er mwyn **rhoi trefn ar fywyd**.

Palet paent o'r stiwdio

Mae cael **breuddwydion yn bwysig**, breuddwydion **bach** a breuddwydion mawr. Cofia roi amser i wneud be wyt ti'n ei fwynhau fwyaf.

Coed Clegir – Cwm-y-glo

Cofia fod yn **chdi dy hun**

bob amser. Bydd yn **gwrtais**

ac yn ddiolchgar am yr hyn

sy **gen ti'n barod**.

Tryfan

Gelli fod yn **be bynnag rwyt ti eisiau bod** – dim ond iti weithio'n galed a **chredu ynot ti dy hun**.

Penllyn – dilyn y golau

Paid â bod **ofn gwneud camgymeriad**: y camgymeriad mwyaf fyddai iti beidio â **rhoi cynnig arni** yn y lle cyntaf.

Llanberis – i fyny'r mynydd

Does mo’r fath beth â methu,

dim ond **dysgu** a **rhoi cynnig arall arni**.

Castell Dolbadarn
– gobaith newydd

Cofia **fwynhau'r siwrnai**

ar hyd y ffordd.

Ffordd i Nant Peris

Cofia **arafu ac oedi** weithiau,

edrych o dy gwmpas a **chymryd**

dy amser i **wrando ac anadlu**.

Penllyn gyda'r nos

Mae'n amhosib iti fod yn hapus bob diwrnod. Ond mae **cyfeiriad y gwynt yn medru newid** yn sydyn iawn.

Dilyn llwybr i Ryd-ddu

Paid â gwastraffu dy amser yn cymharu dy hun efo pobol eraill. Rwyt **ti dy hun yn berson pwysig**, rwyt ti'n **hollol unigryw** ac mae gen ti **ddyfodol disglair** o dy flaen.

Golau'r Eifl

Mae **helpu pobol eraill** yn ffordd dda o **ddangos dy bersonoliaeth** ac yn gallu dy helpu i **deimlo'n well amdanat ti dy hun** yn ogystal â'r byd rwyt ti'n rhan ohono.

Awyrgylch Vivian

Mae gwneud rhywbeth adeiladol a **chymryd rhan** yn dangos **esiampl dda i bobol eraill**. **Paid â gwastraffu dy amser** efo sgyrsiau negyddol.

Chwarel Dinorwig
– niwl porffor

Cofia **beidio â rhoi'r gorau**

iddi pan fydd pethau'n anodd.

Dos ati i **adfyfyrio**, **cynllunio**

a **rhoi cynnig arall arni**.

Dinas Dinlle
– dilyn yr haul

Weithiau mi weli di **bob dim**
yn digwydd ar unwaith – yr
un fath ag y **gweli di enfys**
yr un pryd â **heulwen a glaw**.

Yr Wyddfa – enfys

Mae **bod yn drist** yn rhan

bwysig o'n bywydau ni i gyd.

Cofia fod **gen ti'r hawl i grio**

a bod yn drist yn ogystal **â'r**

hawl i wenu a bod yn hapus.

Llonyddwch Llanddwyn

Mae'r byd yn lle prysur ac mi fyddi dithau hefyd yn brysur ac weithiau **dan straen**. **Cofia be wyt ti'n mwynhau** ei wneud fwyaf efo dy amser.

Machlud Ogwen

Mae **egni** yn gallu bod yn

rhywbeth distaw sydd yn y

cefndir felly does **dim rhaid**

iti fod yn swnllyd na'n frolgar

i **wneud gwahaniaeth**.

Goleudy Ynys Lawd

Cofia ei bod hi'n bwysig iti

fod yn garedig efo pobol eraill

a **gofalu amdanat ti dy hun**.

Y Wawr dros PYG
– Llyn Llydaw

Golau Bwlch Llanberis

Diweddglo

Mae bod allan yn cerdded yn yr awyr agored yn gallu rhoi'r amser i ni gysylltu efo byd natur ac atgoffa ein hunain i orffwys, bod yn bresennol ac aildanio'r batris. Mae cael y cyfle i symud y corff a'r ymennydd yn rhywbeth y dylan ni i gyd ei wneud yn amlach.

Be am inni wneud mwy o amser i wneud y pethau yr ydan ni'n eu caru? Mae chwerthin, mwynhau a chael hwyl yn gallu rhoi cymaint mwy o werth i'n profiadau.

Cofia dy fod ti'n mwynhau'r siwrnai a bod yna wastad olau ar hyd y ffordd.

Glyn, Mari a Gwen
yn mwynhau'r
awyr agored